Don Bosco
mon ami

Illustrations de Augusta Curelli

ÉDITIONS
DU SIGNE

Don Bosco, mon ami

En regardant et en lisant ce livre tu découvriras un ami. Don Bosco.

Enfant comme toi, il amusait ses camarades avec des tours de passe-passe ou en marchant sur une corde tendue entre deux arbres. Mais en même temps, il leur apprenait à connaître et à aimer Jésus.

Devenu prêtre, il s'est occupé des jeunes de la banlieue de Turin, qui vivaient dans la rue, sans travail, exposés à tous les dangers. Il les aidait à devenir "de bons citoyens et de bons chrétiens".

Don Bosco a créé une grande famille d'hommes et de femmes qui, aujourd'hui encore, continuent à travers le monde à être attentifs aux enfants et aux jeunes, et plus particulièrement à ceux qui sont "pauvres et abandonnés".

De tout ce que Don Bosco a dit et fait, tu retiendras, par exemple, que dans toute personne, enfant, jeune ou adulte, il y a la possibilité d'aimer et d'être aimé. Cet amour peut conduire sur les chemins de l'Évangile.

Marcel Jacquemoud

Responsable de la Province de Lyon

Les Becchi, un village du nord de l'Italie, dans les collines du Piémont, au début du siècle dernier.

Parmi les quelques fermes, celle des Bosco est une petite maison qui sert à la fois d'habitation, de grange et d'étable.

La vie de la famille Bosco est très dure. François et Marguerite sont de simples paysans qui peinent pour nourrir leurs deux enfants, Antoine, sept ans, et Joseph, deux ans.

Un événement heureux se prépare.
Maman Marguerite attend un enfant.
- Maman, le bébé, on l'appellera comment ?
- Ce sera une surprise.
- Oui, Marguerite, répond le père, mais je ne sais pas comment on va s'en sortir avec une bouche de plus à nourrir.
- Dieu est avec nous et le rire de notre nouvel enfant nous apportera beaucoup de bonheur.

Le 16 août 1815, le lendemain de la fête de Marie, la joie se prolonge dans la famille Bosco car maman Marguerite met au monde le petit Jean.

Chaque soir, la famille se réunit et papa raconte des histoires sur la vie de Jésus, avant d'inviter chacun à rendre grâces pour le jour passé.

Jean a deux ans lorsque son papa meurt brutalement. Maman Marguerite ne se laisse pas décourager : "Dieu est là. Confiance, mes enfants. Papa, du haut du ciel, attend de vous que vous soyez courageux."

Maman Marguerite reprend les lourdes tâches de la ferme : labourer, faucher le foin, soigner la vigne, traire les vaches, s'occuper de la maison. Ses trois enfants l'aident, même Jean qui est encore petit.

Peu à peu, Jean apprend à piocher, à semer le grain, à trier les épis et à les battre sur l'aire. Maman Marguerite saisit toute occasion pour apprendre à ses fils à connaître Jésus, à découvrir la présence de Dieu qui a créé le ciel et la terre, qui envoie le soleil et la pluie pour féconder les champs.

- Maman, c'est pour nous que le Seigneur fait toutes ces beautés ?
- Oui, Jean, regarde ces fruits bien mûrs.
- Rentrons vite, on a tous faim !
- Remercions le Seigneur. Il a été bon avec nous, aujourd'hui encore. Il nous donne notre pain quotidien que nous pourrons partager avec ceux qui n'en ont pas.

Un jour, Jean essaie d'attraper un pot de confiture sur l'armoire et il grimpe sur une chaise.
Mais... patatras ! C'est l'huile qui tombe.
- Oh, maman, j'ai fait une bêtise aujourd'hui. J'ai cassé la cruche d'huile. Tu es fâchée ?
- Eh bien, c'est dommage pour cette huile si chère, mais comme tu ne m'as rien caché, n'en parlons plus. Je te pardonne. Demain, pour te rattraper, c'est toi qui garderas les vaches.

Bien avant l'aurore, Jean sort les vaches. Plus tard, ses amis viendront le retrouver dans le pré pour jouer. Le reste de la journée, il savoure les moments tranquilles : il admire les poissons dans le ruisseau, les oisillons dans les nids ; il écoute le vent dans les arbres, l'eau sur les rochers.

Il découvre ainsi que Jésus est tout proche de lui, qu'il peut lui parler comme à son meilleur ami.

Jean a neuf ans lorsqu'il fait un rêve qui le marque profondément.

- Quel rêve étrange j'ai fait cette nuit ! J'ai vu une foule d'enfants. Les uns ricanaient, d'autres parlaient méchamment et disaient même du mal de Dieu.

- Qu'est-ce que tu as fait alors ?

- J'ai bondi au milieu d'eux en criant et en les frappant pour les faire taire.

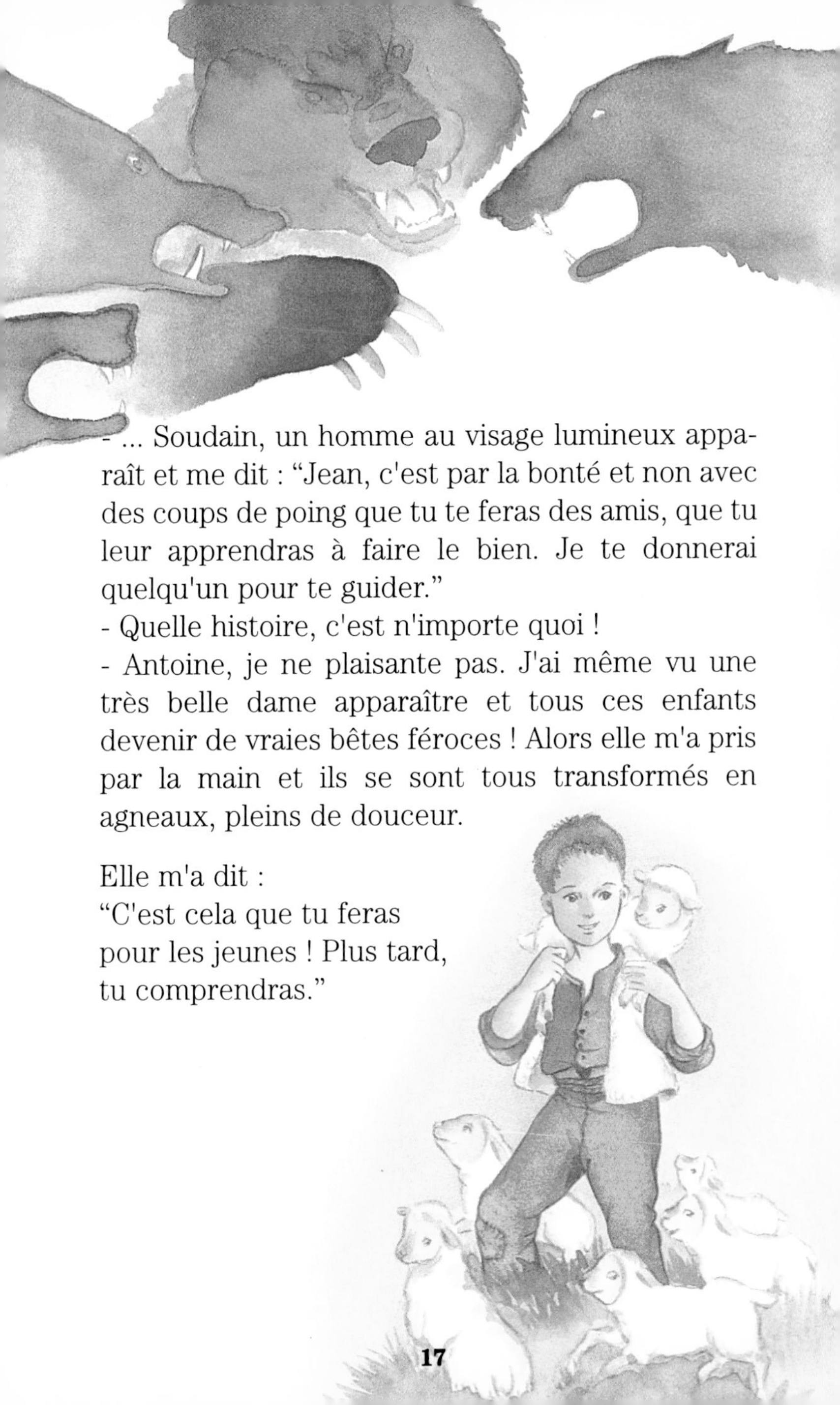

- ... Soudain, un homme au visage lumineux apparaît et me dit : “Jean, c'est par la bonté et non avec des coups de poing que tu te feras des amis, que tu leur apprendras à faire le bien. Je te donnerai quelqu'un pour te guider.”
- Quelle histoire, c'est n'importe quoi !
- Antoine, je ne plaisante pas. J'ai même vu une très belle dame apparaître et tous ces enfants devenir de vraies bêtes féroces ! Alors elle m'a pris par la main et ils se sont tous transformés en agneaux, pleins de douceur.

Elle m'a dit :
“C'est cela que tu feras pour les jeunes ! Plus tard, tu comprendras.”

Les commentaires de ses deux frères ne se font pas attendre :

- Tu deviendras berger.

- Oh non, tu travailleras dans un cirque... ou tu seras chef de brigands.

- Arrête, Antoine !... Et toi, maman, qu'est-ce que tu en penses ?

- Qui sait si tu ne deviendras pas prêtre, mon fils. Allons, au travail maintenant. Jean, emmène les vaches au pré !

Jean repense au songe de la nuit passée et goûte la beauté et le calme de la nature qui s'éveille autour de lui. Une grande paix l'envahit car son rêve prend soudain sens au contact de ce silence matinal. Il comprend qu'au lieu de distribuer des coups de poing, il lui faut semer la joie et l'enthousiasme.

Un des grands plaisirs de Jean, c'est d'aller voir le spectacle des saltimbanques. Il décide d'observer de près les jongleurs et les équilibristes pour les imiter, et ainsi attirer et amuser les copains.

Jean s'exerce, non sans égratignures et quelques bosses ! Il imite le mouvement rapide des doigts qui dissimulent l'astuce, essaye des trucages, jongle avec des pommes et se prépare à faire une fête pour ses amis.

Un dimanche après-midi, en plein été, Jean donne son premier spectacle.
Tous viennent le voir multiplier les sous, jongler, ouvrir le sac d'une vieille dame et en faire s'envoler une poule. On rit, on applaudit.
Antoine, son frère, reste caché derrière un arbre, se moquant de lui : “Quel pitre, quel fainéant ! A dix ans, il ne sait que faire le clown !”
Mais un clown pas comme les autres ! Avant le numéro final, il rappelle l'évangile du dimanche et invite tout le monde à prier. Voilà le prix qu'il fait payer avant de présenter son dernier numéro, celui que tous préfèrent : l'équilibre sur une corde.

Pâques 1826.
Jean a onze ans et fait sa première communion.
C'est sa maman qui, depuis longtemps, lui a appris à connaître la vie de Jésus, à le prier, à se confesser et à dire merci à Dieu pour le pardon reçu. C'est elle aussi qui chaque fois l'accompagne à l'église car elle veut être la première à vivre ce qu'elle enseigne à ses enfants.

Comme Jean est intelligent et a une mémoire prodigieuse, maman Marguerite l'envoie depuis peu chez un voisin pour apprendre à lire et à écrire. Désormais, il peut partager la joie de ses lectures avec ses amis, à midi dans le pré, ou à la veillée. Antoine est de plus en plus jaloux.

- Jean, ce livre, je le jette au feu !
- J'ai fini tout mon travail, je peux bien lire maintenant.
- Etudier, c'est perdre son temps. Je suis grand et fort sans avoir besoin de livres !
- Notre âne est encore plus fort et il n'a jamais été à l'école !

Les relations s'aggravent et Antoine finit par frapper son petit frère. Jean est obligé de quitter la maison.

Jean parvient à se faire embaucher chez les Moglia comme garçon de ferme.

- Nous n'avons pas fait une mauvaise affaire avec ce garçon. Il est travailleur et malin, et en plus, toujours joyeux.

- Tu sais, Louis, j'ai découvert qu'il va même chaque dimanche, de bonne heure, assister à la première messe et communier, avant de nous accompagner à celle de dix heures.

Jean continue à se plonger dans les livres.
- Jean, viens t'amuser, arrête de lire !
- Ce livre sur Jésus est tellement passionnant.
- Ben, dis tout de suite que tu veux te faire curé...
- Oui, Anna, tu as deviné.
- Tu plaisantes... Tu resteras vacher. Pour étudier, il faut beaucoup d'argent.
- Rien n'est impossible à Dieu. Venez, je vais vous lire quelque chose d'intéressant.

Durant les trois ans qu'il passe à la ferme des Moglia, il lit les évangiles à ses nouveaux amis, sans oublier de leur faire des tours de passe-passe et des blagues.

Alors que Jean va sur ses 15 ans, son oncle Michel vient le chercher. Antoine s'est un peu calmé. Jean est heureux de rentrer à la maison et de retrouver sa maman. Son oncle lui promet de veiller à ses études et à son avenir.

Peu de temps après être revenu à la maison, il part écouter des missionnaires et croise un prêtre, Don Calosso.

- Dis, tu n'as rien retenu du sermon, hein ? Si tu m'en dis quatre mots, je te donne quatre sous.

Jean l'épate en récitant le sermon en entier, comme s'il lisait dans un livre.

- Oh, toi, tu as de l'avenir. Tu vas à l'école ?

- Non, mais j'aimerais beaucoup étudier pour devenir prêtre.

La chance est au rendez-vous. Don Calosso lui propose de le loger chez lui et de l'aider.

Hélas, quelque temps plus tard, Don Calosso meurt. Il confie ses économies à son protégé.
Il ne reste plus à Jean qu'à pleurer le départ de son protecteur. Bien vite pourtant, il se ressaisit, se rappelant la phrase de sa mère : “Dieu te voit.” Il ne veut rien toucher de l'héritage et le remet aux neveux du bon curé en leur disant : “Le Seigneur s'occupera de tout puisqu'il veut que je sois prêtre.”

Jean poursuit ses études.
Ce sont des années difficiles. Pour aller à l'école de Castelnuovo, il est obligé de faire chaque jour vingt kilomètres à pied. Plus tard, à Chieri, il se retrouve avec des enfants bien plus jeunes que lui et il devient la cible de leurs moqueries.
Outre ces humiliations, il souffre de l'air hautain des prêtres et ne trouve pas le soutien et l'ouverture qu'il cherche auprès d'eux.

Comme il n'a pas d'argent, il est obligé d'aller de maison en maison mendier un soutien : “Bonjour, je m'appelle Jean. Je suis le fils de Marguerite Bosco. Je veux étudier pour devenir prêtre mais nous n'avons pas assez d'argent. Si vous le pouvez, aidez-moi.”

Jean est hébergé dans différentes familles, où il sert de domestique. Comme il aime rendre service, il apprend également toutes sortes de petits métiers : la couture, la cordonnerie, le travail à la forge, la menuiserie... et aussi la musique dans ses temps libres.

Dans la famille Pianta, Jean est même garçon de café et compte les points au service des joueurs de billard en échange de deux soupes par jour et d'un matelas sous l'escalier. Pourtant, il ressent souvent la fatigue et la faim.

Dans ces dures conditions il trouve encore la force et le temps d'étudier, de prier, à la lumière d'une chandelle, jusque tard dans la nuit.

Durant ces années, Jean commence à vivre des choses étranges. Une nuit, il rêve qu'il fait un devoir de latin.

Le lendemain, c'est justement ce passage que le professeur dicte et il obtient une excellente note. Comme le phénomène se reproduit, les professeurs s'étonnent et le soupçonnent même de tricher.

Une autre nuit, Jean revoit le songe qu'il avait eu à neuf ans, celui du troupeau avec la belle dame qui lui dit : “Sois humble et courageux. Un temps viendra où tu comprendras tout.”

Jean progresse vite car il est travailleur. Ses bons résultats scolaires transforment les premiers rapports si difficiles qu'il avait eus avec ses camarades de classe. Il est admiré et apprécié car il les aide dans leurs devoirs. Peu à peu se nouent de vraies et profondes amitiés :

- On se sent bien ensemble. Si nous fondions un club, “Les amis de la joie” ?
- Jean, c'est quoi ça ?
- Ce serait des amis qui feraient leurs devoirs avec sérieux, qui s'amuseraient ensuite comme des fous... Ça vous va ? On pourrait jouer, partir en excursion, prier et rire ensemble...

A vingt ans, Jean termine ses études avec la mention “très bien” et entre au séminaire. Chaque jeudi, il est heureux de retrouver ses compagnons du club, les enfants qu'il a amusés et qui veulent l'écouter encore. Après les éclats de rire et les farces, on n'oublie jamais de faire une petite halte à la chapelle pour prier.

Le 5 juin 1841, Jean est ordonné prêtre...
- Te voilà devenu Don Bosco à présent !
- Maman, ma première messe sera pour que le Seigneur fasse de moi le protecteur et l'ami des jeunes. Agir, être humblement et joyeusement au service de tous, là est mon unique désir.

Pendant trois ans, Don Bosco apprend à être prêtre auprès de Don Cafasso à Turin. Il découvre le spectacle désolant de la misère et de la violence. Il rencontre des enfants ou des jeunes livrés à eux-mêmes et en est très affecté :

- Père, on attend que quelqu'un nous embauche pour la journée, sinon on se serre la ceinture et on partage le peu de pain qu'on a gagné la veille.
- Vous n'avez pas de famille ?
- Nos parents sont trop pauvres pour nous nourrir.

Chaque fois, Don Bosco rentre bouleversé auprès de Don Cafasso...
- Ces gamins ont besoin d'une école ou d'un travail, d'un terrain pour jouer et se dépenser, de quelqu'un pour les aimer, les guider.
- Jean, tu as encore bien des choses à découvrir ! Viens avec moi visiter la prison.

Les couloirs sombres, les gros barreaux, les visages tristes et amaigris des petits prisonniers dont le crime est souvent d'avoir volé un morceau de pain, le troublent : “Je veux sauver cette jeunesse... et vite !”

Le 8 décembre 1841, le jour de la fête de Marie Immaculée, il se prépare à célébrer la messe, lorsqu'il voit le sacristain chasser un adolescent désœuvré. Don Bosco intervient :

- Comment t'appelles-tu, mon cher ami ?
- Barthélémy.
- Qu'est-ce que tu sais faire, chanter par exemple ?
- Non, répond-il, tout honteux.
- Pas d'importance... Et siffler ?

Le garçon se met à rire. Le lien est noué. Le dimanche suivant, il revient avec plusieurs copains chez ce prêtre bien sympathique, qui sait siffler lui aussi.

Peu à peu, ils sont une vingtaine, une cinquantaine puis une centaine à venir chez Don Bosco, assister à la messe et jouer avec lui. L'oratoire est né.

Commence alors la pénible recherche d'un endroit pour accueillir tous ces jeunes drôlement chahuteurs et vivants. De cour en refuge, de ruelle en terrain vague, Don Bosco finit par leur trouver un hangar avec un grand terrain de jeu, mis à leur disposition par François Pinardi.

Les travaux d'aménagement vont bon train dans la "Maison Pinardi". Les jeunes participent eux-mêmes au chantier. Le hangar est vite transformé en chapelle puis deux chambres sont aménagées en dortoirs. Des salles sont progressivement équipées en ateliers de cordonnerie, couture, menuiserie, reliure...

Don Bosco est infatigable pour aider les centaines de jeunes qui viennent à lui : il leur cherche du travail, négocie les conditions et place ceux qui sortent de prison. A tous il redit : “Venez avec moi. Moi aussi, je suis pauvre mais mon pain, je le partagerai toujours avec vous.”

Ce qui attache ces jeunes à Don Bosco, c'est sa bonté cordiale et sa joie. Ils aiment qu'après les jeux, les chants et les promenades, il leur apprenne à lire et à écrire, à prier, à se confesser. Même lorsqu'il leur parle des choses de Dieu, il sait le faire avec humour :

- Quel bonheur quand nous serons tous ensemble au paradis.
- Nous, on n'y aura pas droit !
- Voyons, croyez-vous que Dieu ait créé le paradis pour le laisser vide ? Nous nous y retrouverons tous. Alors on fera une de ces fêtes !

Parfois même, Don Bosco les intrigue et les fascine :
- Tu as vu, l'autre soir, il n'y avait pas assez de pain ni de chataignes pour le repas. Don Bosco a pourtant commencé la distribution et les corbeilles ne se sont pas vidées !
- On raconte même qu'il a guéri des malades.
- Il se démène pour nous. L'autre nuit, je l'ai surpris encore en train de travailler. Il reprisait quelques-uns de nos pantalons usés.
- Comme il nous aime ! Il ne fait pas semblant, lui !

Parce qu'il aide et défend les jeunes autant qu'il peut, Don Bosco dérange.
Il en vient peu à peu à avoir des ennemis : les autorités de la ville le surveillent, plusieurs prêtres aussi croient qu'il est devenu fou. On tente de l'empoisonner, on organise des complots pour le tuer, mais tous ces mauvais coups, il les évite de justesse, grâce aux jeunes et à la protection d'un chien gris, mystérieusement apparu, qui lui sauve la vie plusieurs fois.

Il s'active tellement pour tous ses garçons qu'un jour, il tombe très gravement malade. Durant une semaine, il est entre la vie et la mort. Les jeunes, affolés, accourent de partout, se relaient nuit et jour, afin de prier pour sa guérison. Après de folles angoisses, il est sauvé ! Lorsqu'il réapparaît dans la cour, appuyé sur un bâton, il reçoit une véritable ovation : “Ma vie, c'est à vous que je la dois. Je la dépenserai entièrement pour vous.”

Rentré de convalescence avec maman Marguerite, à qui il a demandé de l'aider, Don Bosco voit plus loin et plus grand pour tous ces garçons que le Seigneur lui a confiés. Il rêve d'ouvrir des maisons pour les orphelins, des classes pour qu'ils étudient, des ateliers d'apprentissage ; il veut aussi trouver des enseignants, construire des églises, s'entourer d'autres prêtres.

Le 26 janvier 1854, il réunit certains de ses plus anciens garçons :
- Mes amis, des milliers d'enfants pauvres nous attendent. La Vierge Marie nous aidera et nous aurons des foyers de jeunes, des églises, des collèges... même dans d'autres pays !
Abasourdis, les jeunes se regardent.
- Oui, nous formerons une grande famille. Prêtres ou laïcs, nous nous appellerons "Salésiens" en souvenir de la douceur et de la bonté de saint François de Sales.

1855.
Un jour de fête, il a demandé à ses jeunes de lui écrire sur un billet le cadeau qu'ils désiraient. L'un d'entre eux, Dominique Savio, lui écrit : “Aidez-moi à devenir saint”.
Don Bosco leur donne sa “recette de sainteté”. “Premièrement : la joie ; deuxièmement : bien faire ses devoirs d’école et de chrétien ; troisièmement : faire du bien aux autres.”

Dominique se met au travail :
- Venez les copains, il faut aider Don Bosco. Chacun de nous prendra en charge un de ces garçons qui lui causent tant de soucis.
- Quelle bonne idée !
- Nous serons des apôtres de la paix et de la joie ! Nous formerons même une société, “la Compagnie de l'Immaculée”.
Hélas, Dominique a juste le temps de lancer ce projet. Il tombe bientôt malade et meurt, le 9 mars 1857. Il a été déclaré saint, le premier saint de quinze ans.

Désormais, on fait appel à Don Bosco de partout. Ministres et évêques, noblesse et gens du peuple, jeunes et vieux, tous cherchent, même le pape, à le rencontrer. Dans son bureau, il consacre toutes ses matinées à conseiller, bénir, confesser, aider ceux qui viennent lui parler.

Son œuvre grandit. La première église est devenue trop petite.

- Nous construirons un grand sanctuaire dédié à Marie-Auxiliatrice, “Secours des chrétiens”.

- Mais nous n'avons pas d'argent !

- Comme d'habitude, la Vierge Marie elle-même fera la quête pour nous ! Chaque pierre de l'édifice sera une grâce de Marie !

En 1868, l'église est achevée. Lors de la première messe, 1200 jeunes sont présents.

Les surprenantes prophéties de Don Bosco sont devenues réalité.

Ayant fait la connaissance de quelques jeunes femmes, dont Marie Mazzarello, il les encourage à entreprendre pour les filles pauvres ce que les Salésiens font pour les garçons. Il les soutient et les forme : "Vivez toujours en présence de Dieu, soyez douces, patientes et aimables ; faites découvrir à vos filles un amour de Dieu simple et spontané."

Les Filles de Marie-Auxiliatrice sont nées. On les appelle aussi les "sœurs de Don Bosco".

Don Bosco envoie des missionnaires et des sœurs en Argentine pour s'occuper des émigrés italiens et évangéliser les Indiens de cette région désertique qu'on appelle la Patagonie.

C'est la première mission à l'étranger. Beaucoup d'autres suivront.

La bonne nouvelle de Jésus ne connaît pas de frontières.
Le monde entier attend de joyeux messagers de l'amour de Dieu.

Don Bosco fut celui que de nombreux enfants et jeunes de tous âges et de tous les continents attendaient depuis si longtemps.

Don Bosco vieillit mais il garde un esprit jeune et ardent. Ses réponses sont toujours pleines d'humour. A quelqu'un qui lui proposait de l'aide, le voyant marcher, tout courbé, il souriait affectueusement et répondait : “Accompagnez-moi, nous allons au paradis.”

- Mon heure approche... Cela valait la peine de se donner tant de mal pour les jeunes. Aimez-vous comme des frères, aimez ces jeunes qui sont la joie de Jésus et de Marie.
- Don Bosco, faisons cette petite prière que vous aimiez nous répéter : "Jésus, Marie, Joseph, je vous donne mon cœur, mon âme et ma vie, faites que je meure en votre compagnie."
- Dites à mes garçons que je les attends tous au paradis.

Don Bosco meurt le 31 janvier 1888.
En 1934, il est déclaré saint et est invoqué comme le modèle des éducateurs et comme le père des jeunes, surtout de ceux qui sont mal aimés.

Pour mieux comprendre la vie de Don Bosco

Évangile

Ce mot veut dire *"bonne nouvelle"*. La bonne nouvelle, c'est Jésus-Christ lui-même qui, par sa mort et sa résurrection, nous sauve et nous permet d'appeler Dieu notre Père.

Par la suite, on nommera *"Évangiles"* les quatre récits qui racontent la vie et les paroles de Jésus : ce sont les *Évangiles* de Matthieu, Marc, Luc et Jean.

Marie-Immaculée, Marie-Auxiliatrice

Chaque année, le 8 décembre, l'Église célèbre la fête de *l'Immaculée Conception* et se rappelle que Marie, la Mère de Jésus, est née déjà toute orientée vers Dieu et totalement ouverte à son Amour.

Marie-Auxiliatrice, c'est un autre nom que les catholiques donnent à la Vierge Marie parce qu'ils voient en elle une aide entre eux et Dieu. Ils lui présentent leurs besoins pour qu'elle les présente à Dieu. Ils comptent sur sa prière et sur son amour auprès de Dieu.

Ordination, séminaire

L'ordination est un sacrement par lequel un jeune devient prêtre. On dit alors que le jeune est *"ordonné prêtre"*.

Pendant près de six ans, il s'y est préparé avec d'autres jeunes dans une maison que l'on appelle un *séminaire*, où il reçoit une formation sérieuse. Une fois prêtre, il est envoyé en mission au service des autres : célébrer les sacrements comme la messe ou le pardon de Dieu, animer des groupes de chrétiens, leur expliquer la Parole de Dieu, les aider à en vivre et à devenir eux-mêmes témoins de l'Évangile auprès des autres.

Religieux, religieuse

Un religieux, une religieuse, c'est quelqu'un qui a choisi de donner toute sa vie au service de Dieu et des hommes.

En décidant librement de ne pas fonder une famille, de vivre pauvre et d'obéir à ses responsables, cette personne sait que l'amour du Christ suffit pour rendre pleinement heureux un homme ou une femme.

Sacristain, sacristie

La sacristie est un *local discret qui fait partie de l'église*. On y range tous les objets et habits qui servent à faire la fête avec Dieu, à célébrer les sacrements. C'est là que les prêtres et les animateurs se retrouvent avant une célébration pour se préparer. On y trouve bougies, hosties, habits de fête que met le prêtre lors de la messe. Cette pièce est confiée à un *sacristain* qui est responsable de tout ce matériel : il l'entretient et prépare les célébrations.

Oratoire

L'oratoire est devenu aujourd'hui un centre aéré. Au départ, il était sous la responsabilité d'un prêtre qui veillait à animer les jeux, à former les enfants par le catéchisme et la prière. Don Bosco allait même jusqu'à trouver de quoi vêtir les jeunes les plus pauvres. C'est pour cela que son oratoire est devenu progressivement une maison, où on se sent aimé.

Songe

Tout le monde rêve, mais peu de gens se souviennent de leurs rêves, et heureusement ! Quand un rêve devient utile parce qu'il aide à comprendre ce qui se vit ou parce qu'il semble répondre à une forte préoccupation, on parle de songe. C'est un moyen dont Dieu peut se servir pour communiquer avec les hommes, pour leur révéler des choses cachées, pour leur indiquer l'avenir, ce qu'on appelle des *prophéties*, pour leur confier une mission.

Famille salésienne
Des hommes et des femmes ont voulu suivre Don Bosco dans son aventure au service des enfants et des jeunes. C'est pourquoi Don Bosco a fondé une grande famille à la suite de Jésus et de Marie : prêtres, religieux, religieuses, laïcs. A sa mort, on comptait 64 maisons de Salésiens dispersées dans 6 pays. Les Salésiens étaient 768. Les sœurs Salésiennes étaient presque 500 dans 50 maisons en Italie, en France et en Amérique du Sud.
Aujourd'hui, il y a :
17700 religieux répartis dans 115 pays
16600 religieuses réparties dans 85 pays
Plus de 30000 laïcs Salésiens et amis.

Leurs activités sont toujours orientées au service de la jeunesse mais elles se sont également diversifiées en fonction des nouvelles attentes des jeunes de notre temps.

Prière

Don Bosco, mon ami,
je te prie : aide-moi à grandir tout entier
dans mon corps, mon intelligence
et mon cœur.

Tu as eu mal en voyant
la misère des jeunes.
Aide-moi à être attentif
à ceux qui souffrent,
à ceux qui sont abandonnés
ou mal aimés.

Tu as eu confiance en Dieu,
en Jésus et en Marie, sa mère.
Ils t'ont donné force et courage
pour réaliser tant de merveilles.
Donne-moi cette même confiance
pour que je fasse de ma vie
une grande aventure.

Pour t'aider, tu as fait appel
à des femmes et des hommes
et tu as créé une grande famille
pour conduire les jeunes dans la vie.
Je veux, moi aussi, être ton ami
et marcher avec toi
sur les chemins de l'Évangile.

Éditeur :
Éditions du Signe
1, rue Alfred Kastler
B.P. 94 - 67038 Strasbourg Cedex 2
Tél. (33) **03 88 78 91 91**
Fax : (33) 03 88 78 91 99

Textes :
Carole Monmarché
et une équipe de Salésiens de Don Bosco

Illustrations :
Augusta Curelli

Mise en page :
La 7e HEURE

ISSN : 1275-5230
ISBN : 2-87718-569-9
Dépôt légal 3e trimestre 1997
Déposé au Ministère de la Justice
à la date de la mise en vente.
Loi n° 49-956 du 16.07.1949
sur les publications destinées à la jeunesse.

Printed in Spain by Beta-Editorial S.A. - Barcelona